tentations au
chocolat

tentations au
chocolat

Publié par:
TRIDENT PRESS INTERNATIONAL
801 12th Avenue South, Suite 400
Naples, Fl 34102 USA
Tél: + 1 239 649 7077
e-mail: tridentpress@worldnet.att.net
Internet: www.trident-international.com
　　　　　www.chefexpressinternational.com

Tentations au chocolat
© Trident Press International

Édité par
Simon St. John Bailey

Directrice d'édition
Isabel Toyos

Index compris
ISBN 1582797722
UPC 6-15269-97722-4

Édition 2004
Imprimé au Colombia par Cargraphics S.A.

introduction

En parlant du chocolat, les Conquistadores du Nouveau Monde ont rapporté dans leurs chroniques: "Dès qu'on en a bu, on peut voyager toute une journée sans ressentir la fatigue et sans besoin d'aliment". Et ils ont ajouté: "Les fèves sont grillées et broyées, puis mélangées à de l'eau pour en faire une

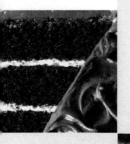

pâte. Ce mélange est réchauffé jusqu'à ce que le beurre monte en surface, ensuite il est encore battu jusqu'à formation d'un liquide mousseux qu'on boit froid".

À cette recette de base, les Aztèques ajoutaient des piments chili, de la vanille, du poivre et de la farine de maïs. Plus tard, les soeurs d'un couvent établi à Oaxaca ont adapté cette boisson au goût de l'Occident en y incorporant du sucre, de la cannelle et de l'anis. Ce n'est que longtemps après que la matière première américaine a atteint des niveaux sublimes aux mains des chocolatiers européens. Vers la moitié du XIXème siècle surgirent les premières industries du chocolat, qui a acquis aujourd'hui un rôle indiscutable à l'heure de préparer les régals désirés.

Conseils et idées

- **Faire fondre le chocolat:** il fond à la température du corps, soit 36°C/96°F.
- **Mouler le chocolat:** pour faire le moulage,

vérifiez que la température sera juste
en approchant vos lèvres du chocolat fondu.

- **Feuilles au chocolat:** elles sont obtenues
facilement en badigeonnant de chocolat
fondu le dos des feuilles de lierre et en les
détachant une fois le chocolat durci.
- **Petits copeaux:** passez un couteau à lame
fine sur l'arête de la tablette de chocolat.
- **Gros copeaux:** étalez le chocolat fondu
sur un plan de travail plat; une fois durci,
raclez à la spatule.
- **Décors bicolores:** saupoudrez de cacao
le dessus d'un gâteau. Posez dessus un
carton découpé, saupoudrez de sucre glace
et retirez délicatement le carton.
- **Glaçage cacao et crème:** pour couvrir un
gâteau, il faut 100 g/3 oz de chocolat noir,
1 cuillerée d'eau, 1 cuillerée de sucre glace
et 100 ml/3 fl oz de crème. Chauffez
à petit feu le chocolat coupé en morceaux
avec l'eau; une fois ramolli, ajoutez le sucre
et remuez jusqu'à ce que le mélange
devienne lisse; enfin, ajoutez la crème
et unissez bien.

Dificulté

■□□ I Facile

■■□ I Moyen

■■■ I Assez difficile

le meilleur
gâteau au chocolat

■ ■ ■ | Cuisson: 45 minutes - Préparation: 2 heures

ingrédients

> **155 g/5 oz de chocolat noir, en petits morceaux**
> **1 tasse/170 g/5¹/2 oz de sucre brun**
> **¹/2 tasse/125 ml/4 fl oz de crème fleurette fouettée**
> **2 jaunes d'œuf**
> **200 g/6¹/2 oz de beurre, ramolli**
> **1 tasse/250 g/8 oz de sucre**
> **1 petite cuillerée d'essence de vanille**
> **2 œufs, légèrement battus**
> **1¹/2 petite cuillerée de poudre à lever**
> **2 tasses/250 g/8 oz de farine**
> **³/4 tasse/185 ml/6 fl oz de lait**
> **3 blancs d'œuf**

glaçage au chocolat

> **³/4 tasse/185 g/6 oz de sucre**
> **³/4 tasse/185 ml/6 fl oz d'eau**
> **6 jaunes d'œuf**
> **200 g/6¹/2 oz de chocolat noir, fondu**
> **250 g/8 oz de beurre, en petits morceaux**

décor

> **90 g/3 oz d'amandes effilées, grillées**
> **fraises arrosées au chocolat**

préparation

1. Mettez le chocolat, le sucre brun, la crème et les jaunes dans un bol au bain-marie et remuez jusqu'à homogénéisation. Retirez le bol et laissez refroidir.

2. Battez le beurre, le sucre et l'essence de vanille dans un bol. Incorporez peu à peu les œufs en fouettant. Tamisez ensemble la farine et la poudre à lever sur le mélange précédent. Ajoutez la préparation au chocolat et le lait et mélangez jusqu'à homogénéiser.

3. Dans un bol propre, battez les blancs en neige ferme. Ajoutez-les, en enrobant, à la préparation de chocolat. Versez ce mélange dans deux moules ronds de 23 cm/9 in, graissés et chemisés, et enfournez à 180°C/350°F/Gaz 4 pour 40 minutes ou jusqu'à ce que les biscuits soient cuits, en vérifiant avec un bâtonnet. Laissez reposer dans les moules 5 minutes avant de les renverser sur une grille pour refroidir.

4. Pour le glaçage, chauffez à feu doux le sucre et l'eau dans une petite casserole, en remuant constamment jusqu'à dissolution du sucre. Portez à ébullition, puis faites cuire 4 minutes à feu doux ou jusqu'à ce que le mélange forme un sirop.

5. Battez les jaunes dans un bol jusqu'à ce qu'ils soient épais et que leur couleur soit claire. Ajoutez peu à peu le sirop et le chocolat fondu, en battant. Ajoutez graduellement le beurre et battez encore jusqu'à ce que le mélange épaississe. Couvrez et réfrigérez jusqu'à ce que la consistance du glaçage permette de l'étaler.

6. Pour monter le gâteau, coupez chaque biscuit

en deux dans l'épaisseur. Placez une couche sur un plat à gâteau et étalez le glaçage dessus, répétez cette opération avec les couches et le glaçage qui restent. Étalez le reste du glaçage sur le dessus et les pourtours du gâteau. Appliquez les amandes en pressant contre les côtés et décorez le dessus de fraises.

....

Pour 10-12 portiones

remarque du chef

Pour préparer les fraises, rincez-les, essuyez-les et placez-les sur un plateau. Arrosez-les de fils de chocolat noir ou blanc fondu et laissez durcir.

le meilleur
gâteau moelleux

■■□ | Cuisson: 45 minutes - Préparation: 45 minutes

préparation

1. Mettez le chocolat, le sucre et le beurre dans un bol au bain-marie (a) et remuez jusqu'à homogénéiser. Retirez le bol du feu et laissez refroidir légèrement. Incorporez les jaunes un à un (b), en battant bien après chaque addition. Ajoutez la farine, en enrobant.

2. Dans un bol propre, battez les blancs en neige ferme. Ajoutez-les à la préparation précédente, en enrobant (c). Versez le mélange dans un moule démontable de 23 cm/9 in de diamètre, graissé, et enfournez à 180°C/350°F/Gaz 4 pour 45 minutes ou jusqu'à ce que le gâteau soit cuit, en vérifiant avec un bâtonnet. Laissez refroidir dans le moule.

3. Au moment de servir, saupoudrez de cacao et de sucre glace.

Un gâteau de 23 cm/9 in

ingrédients

> **350 g/11 oz de chocolat noir,** en petits morceaux
> **³/4 tasse/170 g/5¹/2 oz de sucre**
> **185 g/6 oz de beurre,** en petits morceaux
> **5 œufs, séparés**
> **¹/3 tasse/45 g/1¹/2 oz de farine, tamisée**
> **cacao, tamisé**
> **sucre glace, tamisé**

remarque du chef

Pour un gâteau plus moelleux, les blancs en neige doivent être ajoutés toujours à la fin, en les intégrant par des mouvements légers et enrobants.

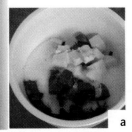
a

b

c

gâteau
endiablé

■■■ | Cuisson: 25 minutes - Préparation: 60 minutes

ingrédients

> 1 tasse/100 g/3^1/$_2$ oz
  de cacao
> 1^1/$_2$ tasse/375 ml/12 fl oz
  d'eau bouillante
> 375 g/12 oz de beurre,
  ramolli
> 1 petite cuillerée
  d'essence de vanille
> 1^1/$_2$ tasse/330 g/10^1/$_2$ oz
  de sucre
> 4 œufs
> 2^1/$_2$ tasses/315 g/10 oz
  de farine
> ^{1}/$_2$ tasse/60 g/2 oz
  d'amidon de maïs
> 1 petite cuillerée de
  bicarbonate de sodium
> 1 petite cuillerée de sel
> ^{1}/$_2$ tasse/125 ml/4 fl oz
  de crème fleurette,
  fouettée

glaçage chocolat-beurre

> 250 g/8 oz de beurre,
  ramolli
> 1 œuf
> 2 jaunes d'œuf
> 1 tasse/155 g/5 oz
  de sucre glace, tamisé
> 185 g/6 oz de chocolat
  noir, fondu et tiédi

préparation

1. Mélangez le cacao et l'eau dans un bol jusqu'à intégration. Laissez refroidir. Mettez le beurre et l'essence de vanille dans un autre bol et battez jusqu'à ce que la préparation soit légère et aérée. Ajoutez peu à peu le sucre, en battant bien après chaque addition, jusqu'à obtention d'une texture crémeuse. Ajoutez les œufs un à un, en battant bien.

2. Tamisez ensemble la farine, l'amidon de maïs, le bicarbonate de sodium et le sel. Ajoutez alternativement au mélange battu, en enrobant, les préparations de farine et de cacao.

3. Versez la préparation dans trois moules ronds de 23 cm/9 in, graissés et chemisés, et enfournez à 180°C/350°F/Gaz 4 pour 20-25 minutes ou jusqu'à que les biscuits soit cuits en vérifiant avec un bâtonnet. Laissez refroidir dans le moule 5 minutes et renversez sur une grille pour refroidir.

4. Pour le glaçage, battez le beurre dans un bol jusqu'à ce qu'il soit léger et aéré. Ajoutez, sans cesser de battre, l'œuf, les jaunes et le sucre glace. Ajoutez le chocolat et battez jusqu'à ce le mélange devienne épais et onctueux. Superposez les trois couches de biscuit en y alternant la crème battue. Couvrez du glaçage le dessus et les pourtours.

Un gâteau de 23 cm/9

remarque du chef

Le "grippage" du chocolat a lieu quand il est surchauffé ou qu'il est en contact avec de l'eau ou de la vapeur. Il devient un bloc solide qui ne fond plus. Pour le récupérer, ajoutez-y un peu de crème ou de l'huile et remuez jusqu'à ce qu'il ramollisse de nouveau.

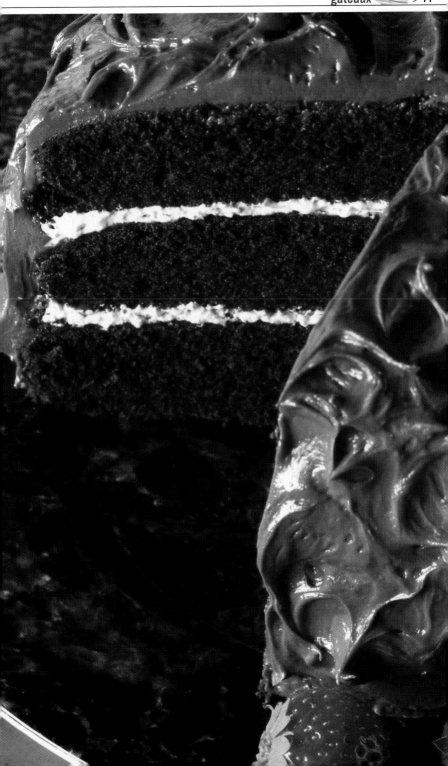

gâteau une livre de chocolat

■□□ | Cuisson: 55 minutes - Préparation: 20 minutes

préparation

1. Battez le beurre, le sucre et l'essence de vanille dans un bol jusqu'à obtention d'une consistance légère et aérée. Incorporez les œufs peu à peu.
2. Tamisez ensemble la poudre à lever, la farine et le cacao. Ajoutez alternativement à la préparation précédente, en enrobant, le mélange de farine et le lait.
3. Versez le mélange dans un moule carré de 20 cm/8 in graissé et chemisé et enfournez à 190°C/375°F/Gaz 5 pour 55 minutes ou jusqu'à ce que le gâteau soit cuit, en vérifiant avec un bâtonnet. Laissez reposer 10 minutes le gâteau dans le moule avant de le renverser sur une grille pour refroidir.

Un gâteau carré de 20 cm/8 in

ingrédients

> **185 g/6 oz de beurre, ramolli**
> **1¹/2 tasse/330 g/10¹/2 oz de sucre**
> **3 petites cuillerées d'essence de vanille**
> **3 œufs, légèrement battus**
> **2 tasses/250 g/8 oz de farine**
> **2 petites cuillerées de poudre à lever**
> **¹/2 tasse/45 g/1¹/2 oz de cacao**
> **1¹/4 tasses/315 ml/10 fl oz de lait**

remarque du chef

Ce gâteau consistant peut être servi seul, accompagné d'une sauce au chocolat déjà prête ou de crème. Une autre délicieuse possibilité est de napper le dessus d'un glaçage simple.

gâteau brownie

■□□ I Cuisson: 20 minutes - Préparation: 25 minutes

ingrédients

> **185 g/6 oz de chocolat noir, grossièrement haché**
> **45 g/1^1/2 oz de beurre, en petits morceaux**
> **^{1}/4 tasse/60 g/2 oz de sucre**
> **1 œuf**
> **^{1}/2 petite cuillerée d'essence de vanille**
> **60 g/2 oz d'amandes effilées**
> **^{1}/4 tasse/30 g/1 oz de farine**
> **6 boules de glace au parfum à votre choix**

préparation

1. Mettez 125 g/4 oz de chocolat et le beurre dans un bol au bain-marie et chauffez 5 minutes en remuant ou jusqu'à ce que le chocolat fonde et que le mélange devienne homogène.

2. Battez le sucre, l'œuf et l'essence de vanille dans un bol jusqu'à obtention d'un mélange épais et crémeux. Incorporez le chocolat fondu en battant. Ajoutez les amandes, la farine et le reste du chocolat, en enrobant.

3. Versez le mélange dans un moule de 20 cm/8 de diamètre, légèrement graissé et chemisé, et enfournez à 180°C/350°F/Gaz 4 pour 15-20 minutes ou jusqu'à ce que le gâteau soit cuit, en vérifiant avec un bâtonnet. Renversez sur une grille et laissez reposer 5-10 minutes.

4. Pour servir, découpez le gâteau tiède en portions et accompagnez d'une boule de glace; celle au café épouse parfaitement le goût du chocolat.

Pour 6 portions

remarque du chef

Le chocolat fond plus vite si coupé en petits morceaux. Mais cette opération doit être lente, car le chocolat brûle s'il est surchauffé. Le récipient doit demeurer sec et sans couvrir, le couvercle pourrait provoquer de la condensation et il suffit d'une seule goutte d'eau pour gâcher le chocolat.

gâteau
farci au chocolat

■■□ | Cuisson: 25 minutes - Préparation: 45 minutes

préparation

1. Battez la farine, le bicarbonate, le cacao, le beurre, le sucre, les œufs et la crème acidulée dans un bol jusqu'à obtention d'un mélange lisse et homogène.
2. Versez dans deux moules ronds de 20 cm/ 8 in, graissés et chemisés et enfournez à 180°C/350°F/Gaz 4 pour 25-30 minutes ou jusqu'à ce que les biscuits soient cuits, en vérifiant avec un bâtonnet. Laissez reposer dans les moules 5 minutes avant de les renverser sur une grille pour refroidir.
3. Superposez les deux couches de biscuit en alternance avec la crème fouettée.
4. Pour le glaçage, chauffez à petit feu le chocolat et le beurre dans une petite casserole en remuant constamment jusqu'à ce qu'il ait fondu. Laissez tiédir le glaçage et tartinez le dessus du gâteau.

....

Un gâteau de 20 cm/8 in

ingrédients

> 1 tasse/125 g/4 oz de farine à lever, tamisée
> $1/4$ petite cuillerée de bicarbonate de sodium
> 1 tasse/45 g/$11^1/2$ oz de cacao, tamisé
> 125 g/4 oz de beurre, ramolli
> $3/4$ tasse/170 g/$5^1/2$ oz de sucre
> 2 œufs, légèrement battus
> 1 tasse/250 g/8 fl oz de crème acidulée
> $1/2$ tasse/125 g/4 fl oz de crème fleurette, fouettée

glaçage au chocolat
> 60 g/2 oz de chocolat noir, haché
> 30 g/1 oz de beurre

remarque du chef

Pour ne glacer que le dessus du gâteau et laisser les pourtours dégagés, il faut tiédir le glaçage jusqu'à ce qu'il épaississe; il sera donc plus facile pour vous de le verser doucement et de l'étaler à la spatule.

gâteau
chocolat et noisettes

■■□ | Cuisson: 50 minutes - Préparation: 50 minutes

ingrédients

> **250 g/8 oz de chocolat noir, en petits morceaux**
> **6 œufs, séparés**
> **1 tasse/250 g/8 oz de sucre**
> **315 g/10 oz de noisettes, grillées et grossièrement hachées**
> **1 cuillerée de rhum**
> **sucre glace, tamisé**

préparation

1. Mettez le chocolat dans un bol au bain-marie et chauffez en remuant jusqu'à ce que le chocolat ait fondu. Retirez du feu et laissez tiédir.

2. Battez les jaunes et le sucre dans un bol jusqu'à ce qu'ils épaississent et que leur couleur devienne claire. Ajoutez au mélange battu, en enrobant, le chocolat, les noisettes et le rhum.

3. Dans un bol propre, battez les blancs en neige ferme. Incorporez-les à la préparation précédente, en enrobant. Versez le mélange dans un moule démontable de 23 cm/9 in, graissé et chemisé, et enfournez à 190°C/375°F/ Gaz 5 pour 50 minutes ou jusqu'à ce que le gâteau soit cuit, en vérifiant avec un bâtonnet. Laissez refroidir dans le moule. Au moment de servir, saupoudrez de sucre glace.

Pour 8 portions

remarque du chef

Voici une attirante possibilité pour glacer ce gâteau: préparez une couverture rapide avec 100 g/3 1/2 oz de chocolat blanc et 50 g/ 1 3/4 oz de beurre et étalez-la sur le dessus du gâteau à la spatule.

gâteau moelleux
chocolat et framboises

■■☐ | Cuisson: 75 minutes - Préparation: 45 minutes

préparation

1. Mettez le chocolat et le beurre dans un bol réfractaire au bain-marie. Remuez pendant qu'il chauffe, jusqu'à ce que le chocolat ait fondu et obtention d'une texture homogène. Laissez tiédir légèrement.

2. Ajoutez les jaunes et le sucre à la préparation de chocolat, en battant. Incorporez la farine en enrobant.

3. Dans un autre bol, mettez les blancs et battez en neige ferme. Ajoutez-les en enrobant à la préparation de chocolat; ajoutez aussi les framboises. Versez dans un moule rond de 20 cm/8 in de diamètre, graissé et chemisé, et enfournez à 120°C/250°F/Gaz ½ pour 1¼ heure ou jusqu'à ce que le gâteau soit cuit, en vérifiant avec un bâtonnet. Éteignez le four et laisser tiédir le gâteau avec la porte entrouverte.

4. Pour le coulis, mettez les framboises au robot ou mixeur et mixez jusqu'à obtention d'une purée. Passez au tamis pour en éliminer les pépins. Ajoutez du sucre à volonté. Servez le gâteau avec le coulis et la crème.

ingrédients

> **315 g/10 oz de chocolat noir**
> **250 g/8 oz de beurre, en petits morceaux**
> **5 jaunes d'œuf**
> **2 cuillerées de sucre**
> **¼ tasse/30 g/1 oz de farine à lever, tamisée**
> **5 blancs d'œuf**
> **250 g/8 oz de framboises**
> **crème fouettée, pour accompagner**

coulis aux framboises

> **250 g/8 oz de framboises**
> **sucre à volonté**

Pour 10 portions

remarque du chef

Pour simplifier la préparation du coulis, délayez ½ tasse de confiture de framboises ou de fraises dans 2 cuillerées d'eau. Cette sauce rapide est tout aussi bonne et vous gagnerez du temps.

gâteau
chocolat et dattes

■ ■ □ | Cuisson: 40 minutes - Préparation: 45 minutes

ingrédients

- > **6 blancs d'œuf**
- > **1 tasse/220 g/7 oz de sucre**
- > **200 g/6^1/$_2$ oz de chocolat noir, râpé**
- > **160 g/5 oz de dattes dénoyautées, hachées**
- > **2 tasses/280 g/9 oz de noisettes hachées**
- > **1^1/$_2$ tasse/375 ml/ 12 fl oz de crème fleurette, fouettée**

couverture

- > **100 g/3^1/$_2$ oz de chocolat noir, fondu**

préparation

1. Battez les blancs en neige. Ajoutez peu à peu le sucre et battez encore jusqu'à dissolution. Ajoutez le chocolat, les dattes et les noisettes, en enrobant.

2. Distribuez le mélange dans deux moules démontables de 23 cm/9 in de diamètre, graissés et chemisés. Enfournez à 160°C/325°F/Gaz 3 pour 40 minutes ou jusqu'à ce que ce soit ferme. Retirez du four et laissez refroidir dans les moules.

3. Tartinez une des couches de la crème fouettée et posez dessus l'autre couche. Arrosez le dessus du gâteau du chocolat fondu pour décorer.

....

Pour 12 portions

remarque du chef

Pour que ce gâteau soit encore plus chocolaté, vous pouvez le farcir d'un mélange de 200 g/7 oz de crème bien fouettée avec 2 cuillerées de cacao.

gâteau
sablé au chocolat

■□□ | Cuisson: 10 minutes - Préparation: 15 minutes

préparation

1. Faites fondre le chocolat dans un bol à micro-ondes à Dégel (puissance 30%) 2 minutes, remuez et chauffez encore 2 minutes. Continuez encore 6-8 minutes ou jusqu'à ce que le chocolat soit complètement fondu.
2. Remuez en ajoutant les biscuits, la crème acidulée ou la crème fleurette, les amandes ou les noisettes et la liqueur, si vous en mettez. Mélangez bien.
3. Mettez la préparation dans un moule à gâteau de 18 cm/7 in de diamètre, beurré et chemisé de papier sulfurisé au fond. Pressez et réfrigérez jusqu'à que ce soit ferme.

Un gâteau de 18 cm/7 in de diamètre

ingrédients

> **200 g/6¹/2 oz de chocolat noir, en petits morceaux**
> **100 g/3¹/2 oz de biscuits sablés, en morceaux**
> **¹/2 tasse/125 g/4 oz de crème acidulée, ou ¹/2 tasse/125 ml/ 4 fl oz de crème fleurette**
> **¹/2 tasse/60 g/2 oz d'amandes ou de noisettes moulues**
> **1 cuillerée de liqueur à l'orange ou de whisky (optionnel)**

remarque du chef

Un régal pour les mordus de chocolat qui ne veulent pas passer leur temps dans la cuisine. Servez-en des portions pour accompagner le café du matin ou à l'heure du thé, ou avec des fraises givrées comme simple dessert.

gâteau
chocolat et amandes

■□□ | Cuisson: 30-40 minutes - Préparation: 10 minutes

ingrédients

> **30 g/1 oz d'amandes finement hachées**
> **1/4 tasse/45 g/1¹/2 oz de sucre brun**
> **1 paquet de mélange à gâteau au chocolat**

sauce aux fraises

> **250 g/8 oz de fraises**
> **1 cuillerée de confiture de fraises**
> **1 cuillerée de jus de citron**

préparation

1. Mélangez les amandes et le sucre dans un bol. Étalez ce mélange sur le fond d'un moule de 11 x 21 cm/4¹/2 x 8¹/2 in, graissé et chemisé.
2. Préparez le mélange à gâteau en suivant les instructions du paquet. Versez le mélange battu dans le moule et enfournez comme indiqué sur le paquet.
3. Pour la sauce, mettez les fraises, la confiture et le jus de citron au robot ou mixeur. Mixez jusqu'à homogénéiser. Passez au tamis pour éliminer les pépins.
4. Laissez reposer le gâteau 5 minutes avant de démouler. Servez découpé en tranches et accompagné de la sauce.

Pour 8 portions

remarque du chef

Voici une façon très simple de donner une touche toute spéciale à un gâteau pré-prêt. Vous pouvez remplacer les amandes par des fruits secs au choix. Et pourquoi pas faire quelque chose de différent en utilisant des pistaches moulues ou du coco râpé?

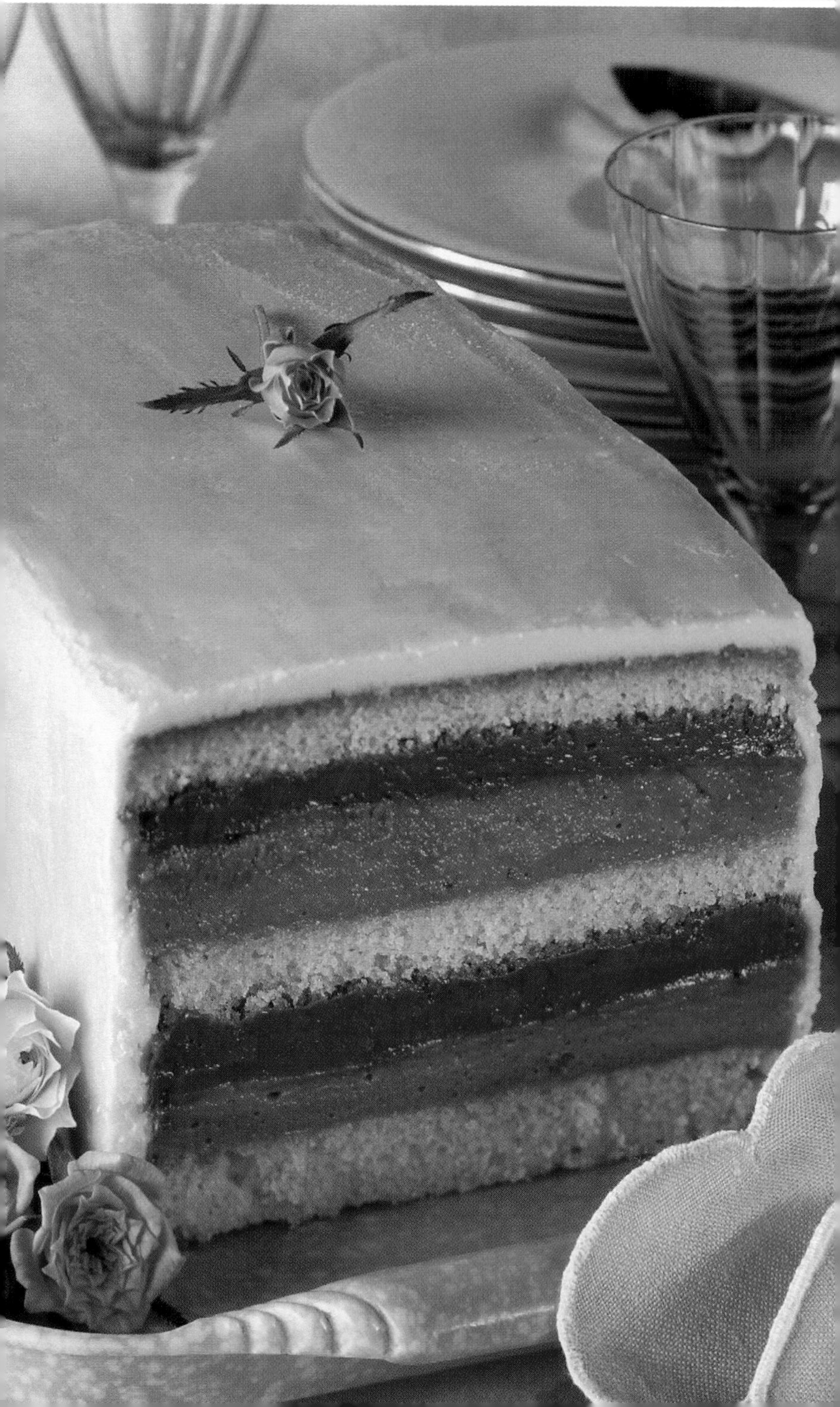

terrine
aux trois chocolats

■■■ | Cuisson: 35 minutes - Préparation: 2 heures

préparation

1. Pour le biscuit, battez le beurre et l'essence de vanille dans un bol jusqu'à obtention d'un mélange léger et aéré. Incorporez peu à peu le sucre et battez encore jusqu'à obtention d'un mélange crémeux. Ajoutez les œufs un à un. Ajoutez alternativement, en enrobant, la farine et le lait au mélange battu. Versez dans un moule de 11 x 21 cm/ 4 1/2 x 8 1/2 in, graissé et chemisé. Enfournez à 180°C/350°F/Gaz 4 pour 20-25 minutes ou jusqu'à ce que le biscuit soit cuit, en vérifiant avec un bâtonnet. Laissez reposer dans le moule 5 minutes, et démoulez sur une grille pour refroidir.

2. Pour le mélange, battez le beurre et le sucre glace dans un bol jusqu'à obtention d'une texture douce. Ajoutez, en enrobant, le chocolat noir et la crème. Réfrigérez jusqu'au moment d'utiliser.

3. Pour la mousse, chauffez à petit feu le chocolat et le beurre dans une petite casserole, en remuant constamment jusqu'à intégration. Laissez refroidir. Battez le sucre et les œufs dans un bol jusqu'à ce qu'ils soient épais et crémeux. Ajoutez, en enrobant, le mélange de chocolat, la crème, le rhum et la gélatine.

4. Pour monter la terrine, découpez le biscuit en trois couches. Étalez le mélange de chocolat sur deux couches. Posez l'une d'elles au fond d'un moule de 11 x 21 cm/ 4 1/2 x 8 1/2 in, chemisé d'un film. Couvrez avec la moitié de la mousse et réfrigérez 10 minutes, jusqu'à ce qu'elle devienne

ingrédients

biscuit
> 125 g/4 oz de beurre
> 1 petite cuillerée d'essence de vanille
> 1/2 tasse/100 g/3 1/2 oz de sucre
> 2 œufs
> 1 tasse/125 g/4 oz de farine à lever, tamisée
> 1/3 tasse/90 ml/3 fl oz de lait

mélange au chocolat
> 125 g/4 oz de beurre
> 2 cuillerées de sucre glace
> 90 g/3 oz de chocolat noir, fondu et tiédi
> 1 tasse/250 ml/8 fl oz de crème fleurette, froide

mousse au chocolat
> 200 g/6 1/2 oz de chocolat au lait, haché
> 125 g/4 oz de beurre
> 2 cuillerées de sucre
> 2 œufs
> 1 tasse/250 ml/8 fl oz de crème fleurette
> 1 cuillerée de rhum brun
> 6 petites cuillerées de gélatine dissoutes dans 2 cuillerées d'eau bouillante et tiédie

glaçage de chocolat
> 250 g/8 oz de chocolat blanc
> 100 g/3 1/2 oz de beurre

terrine
aux trois chocolats

consistante. Disposez la deuxième couche tartinée de mélange et couvrez avec la mousse restante, réfrigérez encore 10 minutes. Finissez par l'autre couche de biscuit et réfrigérez jusqu'à ce que ce soit ferme.

5. Pour le glaçage, chauffez le chocolat blanc et le beurre dans une petite casserole à feu très doux, en remuant constamment jusqu'à homogénéiser. Laissez tiédir. Démoulez la terrine sur une grille et découpez-en les bords. Couvrez du glaçage (a) et laissez croûter.

....
Pour 10 portions

remarque du chef

Le chocolat doit être gardé en lieu sec et aéré, à une température de 16°C/32°F environ. Si vous ne le conservez pas convenablement, le beurre de cacao qui le compose remonte et produit un blanchissement en surface. Des taches semblables sont remarquées quand l'eau se condense en surface. Ceci arrive quand le chocolat est réfrigéré sans être bien enveloppé. Le chocolat ayant subi ces altérations peut être fondu, mais pas utilisé pour le râper.

a

tarte
noir et blanc

tarte
noire et blanc

■■■ | Cuisson: 25 minutes - Préparation: 90 minutes

ingrédients

fond de tarte

> 2 blancs d'œuf
> 1/2 tasse/100 g/31/2 oz
  de sucre
> 220 g/7 oz de coco
  déshydraté
> 1/4 tasse/30 g/1 oz
  de farine, tamisée

mélange crème acidulée et chocolat

> 2 jaunes d'œuf
> 3/4 tasse/185 ml/6 fl oz
  de crème fleurette,
  légèrement battue
> 185 g/6 oz de chocolat
  noir, en petits morceaux
> 2 cuillerées de cognac
> 185 g/6 oz de chocolat
  blanc, en petits morceaux
> 2/3 tasse/155 g/5 oz
  de crème acidulée

coulis aux framboises

> 250 g/8 oz de framboises
> 1 cuillerée de sucre glace

préparation

1. Pour le fond de tarte, battez les blancs en neige dans un bol. Incorporez peu à peu le sucre, en battant. Ajoutez le coco et la farine, en enrobant (a). Mettez la préparation dans un moule à tarte démontable de 23 cm/9 in de diamètre, graissé (b) et chemisé; pressez contre le fond et les côtés. Enfournez à 180°C/350°F/Gaz 4 pour 20-25 minutes jusqu'à dorer. Laissez reposer 5 minutes, ensuite retirez du moule et posez sur une grille pour refroidir.

2. Pour le mélange, battez les jaunes et la crème (c) dans un bol au bain-marie jusqu'à ce qu'ils soient épais et que leur couleur soit claire. Incorporez, en remuant, le chocolat (d) et le cognac. Remuez encore jusqu'à ce que le chocolat ait fondu (e). Retirez du feu et laissez tiédir.

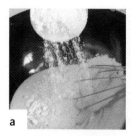

a

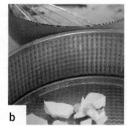

b

3. Mettez le chocolat blanc et la crème
acidulée dans un bol au bain-marie.
Chauffez, en remuant, jusqu'à
homogénéiser. Retirez et laissez tiédir.

4. Remplissez le fond à tarte en alternant
des cuillerées des mélanges de chocolat
blanc et noir. Tracez des tourbillons
au moyen d'un bâtonnet pour rendre
un effet marbré. Réfrigérez 2 heures
ou jusqu'à ce que le mélange soit ferme.

5. Pour le coulis, mettez les framboises
au robot au mixeur et mixez jusqu'à
obtention d'une purée. Passez au tamis
pour en éliminer les pépins. Ajoutez
le sucre glace et mélangez bien.
Servez avec la tarte.

remarque du chef

*Il est conseillé
de manger ce gâteau
le jour même,
au contraire le fond
de tarte absorberait
trop d'humidité
et perdrait sa texture
croquante.*

....
Pour 8 portions

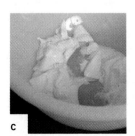

c

d

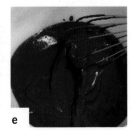

e

petits gâteaux
aux framboises

■■■ | Cuisson: 32 minutes - Préparation: 70 minutes

ingrédients

> $1/2$ tasse/45 g/$1^1/2$ oz de cacao, tamisé
> 1 tasse/250 ml/8 fl oz d'eau bouillante
> $1^3/4$ tasse/400 g/ $12^1/2$ oz de sucre
> 125 g/4 oz de beurre
> $1^1/2$ cuillerée de confiture de framboises
> 2 œufs
> $1^2/3$ tasse/200 g/ $6^1/2$ oz de farine à lever, tamisée
> 410 g/13 oz de chocolat noir, fondu
> framboises pour décorer

crème de framboises

> 125 g/4 oz de framboises, en purée et tamisées
> $1/2$ tasse/125 ml/4 fl oz de crème fleurette, fouettée

sauce de chocolat

> 125 g/4 oz de chocolat noir
> $1/2$ tasse/125 ml/4 fl oz d'eau
> $1/4$ tasse/60 g/2 oz de sucre
> 1 petite cuillerée de cognac (optionnel)

préparation

1. Faites dissoudre le cacao dans l'eau bouillante; laissez refroidir. Mettez le sucre, le beurre et la confiture dans un bol et battez jusqu'à obtention d'une consistance légère et moelleuse. Ajoutez les œufs un à un, en battant et ajoutant un petit peu de farine avec chaque œuf. Incorporez, en enrobant, le reste de la farine, en alternant avec le cacao dissous.

2. Distribuez le mélange dans 8 petites terrines contenant $1/2$ tasse/125 ml/4 fl oz de capacité. Enfournez à 180°C/350°F/Gaz 4 pour 20-25 minutes ou jusqu'à ce que les petits gâteaux soient cuits en vérifiant avec un bâtonnet. Laissez reposer 5 minutes et ensuite démoulez sur une grille pour refroidir. Renversez les petits gâteaux et creusez-les par le bas au moyen d'une cuillère (a), en laissant un bord de 1 cm/$1/2$ in. Remettez-les à l'endroit sur la grille. Nappez-les du chocolat fondu. Laissez croûter.

3. Pour la crème, ajoutez en enrobant la purée de framboises à la crème fouettée. Mettez-la dans une poche à douille à embout large. Renversez doucement les petits gâteaux et farcissez leur cavité de crème (b).

4. Pour la sauce, mettez le chocolat et l'eau dans une petite casserole. Chauffez à feu doux en remuant, 4-5 minutes ou jusqu'à ce que le chocolat ait fondu. Ajoutez le sucre et faites cuire encore, en remuant constamment jusqu'à dissolution du sucre. Portez à peine à ébullition. Baissez le feu et faites cuire à feu doux en remuant 2 minutes. Laissez refroidir 5 minutes, incorporez le cognac (si vous souhaitez) et remuez. Servez pour accompagner les petits gâteaux.

Pour 8 portions

a

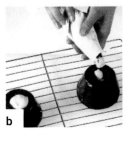

b

remarque du chef

*Ces petits gâteaux farcis
de crème aux framboises
et accompagnés
d'une superbe sauce
au chocolat serviront
à boucler parfaitement
un dîner important*

la glace sublime
au chocolat

■ ■ □ | Cuisson: 40 minutes - Préparation: 40 minutes

préparation

1. Pour le fond, mettez le beurre, les œufs, le sucre et l'essence de vanille dans un bol et battez pour combiner. Ajoutez la farine, le cacao, les dattes et les noix et unissez bien.

2. Versez dans un moule carré de 20 cm/8 in, graissé et fariné. Enfournez à 180°C/350°F/Gaz 4 pour 30 minutes ou jusqu'à que ce soit ferme au toucher, mis dedans encore moelleux. Laissez refroidir dans le moule et ensuite découpez-en 6 carrés.

3. Pour la sauce, mettez tous les ingrédients dans une casserole et chauffez à feu doux, en remuant constamment, jusqu'à dissolution du sucre. Portez à ébullition, baissez le feu et faites cuire doucement 5 minutes ou jusqu'à ce que la sauce épaississe légèrement.

4. Pour monter, couronnez chaque brownie de trois boules de glace aux parfums divers, nappez de la sauce chaude et servez.

....
Pour 6 portions

ingrédients

> **6 boules de glace à la vanille**
> **6 boules de glace au chocolat**
> **6 boules de glace aux pépites de chocolat**

fond brownie

> **250 g/8 oz de beurre, fondu**
> **4 œufs, légèrement battus**
> **1 1/2 tasse/330 g/ 10 1/2 oz de sucre**
> **2 petites cuillerées d'essence de vanille**
> **3/4 tasse/90 g/3 oz de farine, tamisée**
> **1/4 tasse/30 g/1 oz de cacao, tamisé**
> **60 g/2 oz de dattes, hachées**
> **45 g/1 1/2 oz de noix Pécans, hachées**

sauce au fudge

> **2 tasses/350 g/11 oz de sucre brun**
> **1/4 tasse/30 g/1 oz de cacao, tamisé**
> **1 tasse/250 ml/8 fl oz de crème fleurette**
> **2 cuillerées de beurre**

remarque du chef

La sauce de fudge restante pourra être conservée dans un bocal étanche au réfrigérateur.

petites fleurs
au chocolat

■■■ | Cuisson: 0 minute - Préparation: 60 minutes

ingrédients

> **440 g/14 oz de chocolat au lait, fondu**

crème de pêches

> **1¼ tasse/315 ml/ 10 fl oz de crème fleurette**
> **2 cuillerées de sucre glace, tamisé**
> **2 pêches, pelées et dénoyautées, en purée**
> **¼ tasse/60 ml/2 fl oz de pulpe de fruit de la passion**

coulis de pêche

> **3 pêches, pelées et dénoyautées, en purée**
> **⅓ tasse/90 ml/3 fl oz de pulpe de fruit de la passion**
> **sucre**

préparation

1. Pour façonner les fleurs au chocolat, découpez six carrés de papier antiadhésif de 15 cm/6 in. Placez de petits moules ou de petites terrines renversés sur un plateau et recouvrez-les des carrés de papier. Versez des cuillerées du chocolat fondu sur le fond du moule et laissez couler sur les côtés, sur le papier; s'il ne glisse pas facilement, étalez-le à la spatule. Une fois le chocolat durci, décollez doucement le papier.

2. Pour la crème de pêche, battez la crème dans un bol jusqu'à formation de pics mous. Ajoutez le sucre glace, les pêches et la pulpe des fruits de la passion.

3. Pour le coulis, passez au tamis les pêches et les fruits de la passion pour obtenir une texture homogène. Ajoutez du sucre à volonté. Pour présenter, distribuez le coulis dans les assiettes. Disposez les fleurs au chocolat et remplissez-les de la crème de pêches.

....
Pour 6 portions

remarque du chef

Ce dessert est délicieux garni de praliné moulu. Pour le préparer, chauffez à feu doux 1 tasse/250 g/ 8 oz de sucre et 1 tasse/250 ml/ 8 fl oz d'eau dans une petite casserole, en remuant jusqu'à dissolution du sucre. Augmentez le feu et faites frémir jusqu'à obtention d'un caramel doré. Sur une plaque à four graissée, parsemez 3 cuillerées d'amandes effilées et grillées. Versez dessus le caramel. Laissez durcir, cassez en morceaux et broyez jusqu'à obtention d'un granulé.

pudding nappé de sa sauce

■ ■ □ | Cuisson: 40 minutes - Préparation: 30 minutes

préparation

1. Tamisez ensemble la farine, la poudre
   à lever et le cacao. Ajoutez le sucre
   et mélangez. Faites un creux au centre des
   ingrédients secs, ajoutez le lait et le beurre
   et amalgamez. Versez cette préparation
   dans un plat réfractaire contenant 4 tasse/
   1 litre/1³/4 pt de capacité, graissé.
2. Pour la sauce, mettez le sucre brun
   et le cacao dans un bol. Ajoutez peu à peu
   l'eau et mélangez jusqu'à homogénéiser.
   Versez doucement sur la préparation
   du plat.
3. Enfournez à 180°C/350°F/Gaz 4 pour
   40 minutes jusqu'à ce que le pudding soit
   cuit, en vérifiant avec un bâtonnet.
   Servez des portions de pudding avec une
   cuillère, en prenant la sauce du fond du
   plat. Accompagnez avec une boule de glace
   vanille ou chocolat.

ingrédients

> 1 tasse/125 g/4 oz
  de farine
> ³/4 petite cuillerée
  de poudre à lever
> ¹/4 tasse/30 g/1 oz
  de cacao
> ³/4 tasse/170 g/5¹/2 oz
  de sucre
> ¹/2 tasse/125 ml/4 fl oz
  de lait
> 45 g/1¹/2 oz de beurre,
  fondu

sauce de chocolat

> ³/4 tasse/125 g/4 oz
  de sucre brun
> ¹/4 tasse/30 g/1 oz
  de cacao, tamisé
> 1¹/4 tasses/315 ml/
  10 fl oz d'eau chaude

. . . .
Pour 6 portions

remarque du chef

*Pour donner à ce dessert un cachet
irrésistible, vous pouvez le saupoudrer
de noisettes broyées et légèrement grillées
dans une poêle propre.*

tuiles
au chocolat blanc

■■■ | Cuisson: 5 minutes - Préparation: 70 minutes

ingrédients

> 125 g/4 oz de beurre, fondu
> 4 blancs d'œuf
> 2 cuillerées de lait
> 1 tasse/125 g/4 oz de farine
> 2/3 tasse/140 g/4 1/2 oz de sucre
> 60 g/2 oz d'amandes effilées

mélange au chocolat blanc

> 250 g/8 oz de chocolat blanc, en petits morceaux
> 60 g/2 oz de beurre, en petits morceaux
> 1/4 tasse/60 ml/2 fl oz de crème fleurette

remarque du chef

Pour que les tuiles ne ramollissent pas, il est conseillé de farcir ce dessert au moment de servir. Les tuiles vides peuvent être conservées dans des bocaux étanche jusqu'à 2 mois.

préparation

1. Pour les tuiles, battez le beurre, les blancs, le lait, la farine et le sucre dans un bol (a) jusqu'à obtention d'une texture homogène.
2. Versez 2 petites cuillerées du mélange (b) sur une plaque à four légèrement graissée et étalez pour en faire un disque de 10 cm/4 in de diamètre. Répétez avec le reste du mélange, en laissant un peu de place entre chaque disque. Parsemez des amandes. Enfournez à 160°C/325°F/Gaz 3 pour 3-5 minutes, jusqu'à ce que les bords des tuiles soient dorés. Retirez-les doucement à la spatule et posez-les sur de petits moules renversés. Pressez doucement pour les façonner. Laissez refroidir (c) jusqu'à solidification avant de les retirer des moules.
3. Pour le mélange, mettez le chocolat, le beurre et la crème dans un bol au bain-marie et chauffez en remuant jusqu'à homogénéiser. Retirez du feu et laissez tiédir pour épaissir légèrement. Battez le mélange jusqu'à obtention d'une texture légère et épaisse. Versez-le au moyen d'une cuillère dans une poche à douille et farcissez les tuiles.

Pour 28 unités

a

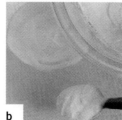

b

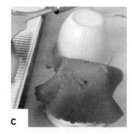

c

soufflé
au chocolat

a

b

■ ■ ■ | Cuisson: 35 minutes - Préparation: 60 minutes

préparation

1.Mettez le chocolat et la moitié de la crème (a) dans un bol au bain-marie. Chauffez en remuant constamment jusqu'à homogénéiser. Retirez du feu et laissez tiédir.

2.Dans un autre bol, battez les jaunes et le sucre jusqu'à ce qu'ils épaississent et que leur couleur soit claire. Incorporez, en battant, la farine et la crème restante (b). Unissez bien.

3.Versez le mélange battu dans une petite casserole et faites cuire à feu moyen en remuant constamment 5 minutes ou jusqu'à ce que le mélange épaississe. Retirez du feu. Incorporez-le au mélange de chocolat (c) et remuez (d).

4.Dans un bol propre, battez les blancs en neige ferme. Ajoutez-les, en enrobant, à la préparation précédente (e). Distribuez le mélange dans 6 moules à soufflé individuels contenant 1 tasse/250 ml/8 fl oz de capacité, graissés et sucrés. Enfournez à 190°C/375°F/Gaz 5 pour 25 minutes jusqu'à ce qu'ils gonflent.

Si vous souhaitez, saupoudrez de sucre glace. Servez immédiatement.

....

Pour 6 portions

ingrédients

> **250 g/8 oz de chocolat noir, en petits morceaux**
> **1 tasse/250 ml/8 fl oz de crème fleurette, légèrement battue**
> **6 œufs, séparés**
> **1 tasse/220 g/7 oz de sucre**
> **1/4 tasse/30 g/1 oz de farine**
> **sucre glace, tamisé (optionnel)**

remarque du chef

Pour préparer les petits moules, badigeonnez-les dedans de beurre fondu en formant une couche mince et uniforme; ensuite saupoudrez légèrement de sucre.

c

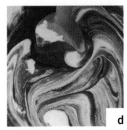

d

e

glace
au chocolat

■■□ I Cuisson: 5 minutes - Préparation: 40 minutes

ingrédients

> **1 tasse/220 g/7 oz de sucre**
> **9 jaunes d'œuf**
> **1/2 tasse/45 g/1 1/2 oz de cacao, tamisé**
> **2 tasses/500 ml/16 fl oz de lait**
> **2 1/2 tasses/600 ml/1 pt de crème, légèrement battue**
> **125 g/4 oz de chocolat au lait, fondu**

préparation

1. Battez le sucre et les jaunes dans un bol (a) jusqu'à ce qu'ils épaississent et que leur couleur soit claire.
2. Mettez le cacao dans une petite casserole. Incorporez peu à peu le lait et la crème en remuant. Chauffez à feu moyen, en remuant constamment jusqu'à ce que le mélange soit sur le point de bouillir. Ajoutez le chocolat et remuez (b).
3. Versez le mélange de chocolat chaud sur les jaunes battus (c), en battant encore pour intégrer. Laissez refroidir.
4. Disposez la préparation dans un récipient à freezer. Congelez 30 minutes ou jusqu'à ce que les côtés commencent à durcir. Battez le mélange jusqu'à obtention d'une texture uniforme. Remettez au freezer et répétez l'opération précédente encore deux fois. Congelez jusqu'à ce que ce soit ferme. Vous pouvez aussi mettre le mélange dans une sorbetière et congeler en suivant ses instructions.

Pour 7 tasses/1750 ml/3 pt environ

remarque du chef

Les mordus de chocolat peuvent ajouter du chocolat haché, en enrobant, à la préparation avant qu'elle durcisse.
Servez la glace en boule sur des tuiles à la vanille ou accompagnez de framboises.

a

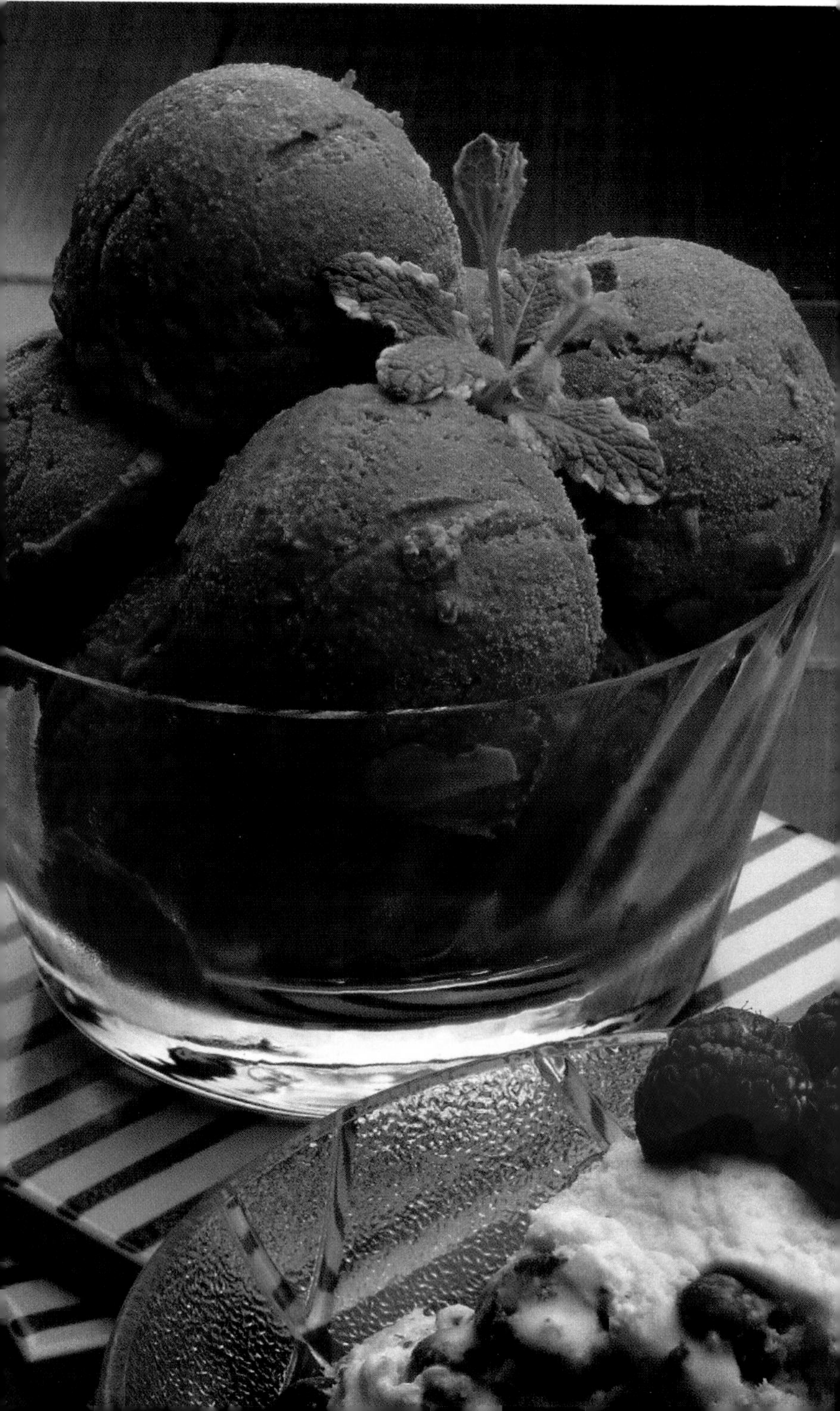

glace
chocolat au cognac

■□□ | Cuisson: 5 minutes - Préparation: 40 minutes

préparation

1. Combinez la crème, le lait, le chocolat et le café dans une casserole à feu moyen. Remuez jusqu'à ce que le chocolat ait fondu, sans permettre au mélange de bouillir.

2. Entretemps, battez les jaunes et le sucre au fouet électrique jusqu'à ce qu'ils épaississent et que leur couleur soit claire. Battez encore en ajoutant la préparation chaude au chocolat. Remettez le mélange dans une casserole propre et chauffez à feu moyen, en remuant constamment jusqu'à épaissir légèrement. Ajoutez le cognac en remuant. Laissez refroidir

3. Versez le mélange dans une sorbetière et congelez en suivant ses instructions. Vous pouvez aussi congeler dans des bacs à glaçons. Quand la glace est à demi-congelée, battez-la pour casser les plus gros cristaux. Répétez l'opération précédente encore deux fois; ensuite congelez dans un récipient allant au freezer jusqu'à ce que ce soit ferme.

ingrédients

> **750 ml/ 1 1/4 pt crème fleurette**
> **250 ml/8 fl oz de lait**
> **155 g/5 oz de chocolat noir, râpé**
> **2 petites cuillerées de café instantané**
> **5 jaunes d'œuf**
> **185 g/6 oz de sucre**
> **2 cuillerées de cognac**

Pour 12 portions

remarque du chef

Au lieu de la glace maison, vous pouvez servir une glace rapide aux pépites de chocolat. Battez 250 ml/8 fl oz de crème fleurette avec 3 cuillerées de Kalhua jusqu'à formation de pics mous; versez le mélange, en remuant, sur 2 litres/3 1/2 pt de glace vanille de bonne qualité, ramollie. Disposez dans un récipient à freezer jusqu'à ce qu'elle soit à demi-congelée. Incorporez 250 g/8 oz de pépites de chocolat et 125 g/4 oz d'amandes hachées et tournez pour mélanger. Faites freezer jusqu'à solidification.

terrine
chocolat et noisettes

■■■ | Cuisson: 10 minutes - Préparation: 60 minutes

préparation

1. Faites fondre le chocolat au lait et la pâte à tartiner dans un grand bol thermique. Laissez tiédir. Incorporez en remuant la liqueur Tia Maria et les jaunes. Battez la moitié de la crème jusqu'à formation de pics mous. Ajoutez-la en enrobant au mélange de chocolat.
2. Battez les blancs en neige dans un bol. Ajoutez peu à peu le sucre, en battant jusqu'à obtention d'une neige ferme.
3. Faites fondre le chocolat noir. Versez-en la moitié sur le mélange de chocolat au lait, en enrobant pour l'intégrer. Incorporez les blancs en enrobant encore. Conservez tiède le chocolat restant sur un récipient rempli d'eau chaude.
4. Versez le mélange par cuillerées dans une grande terrine chemisée de film. Congelez jusqu'à ce que ce soit ferme.
5. Pour la sauce, ajoutez l'autre moitié de crème au chocolat réservée. Chauffez à feu doux, en remuant jusqu'à homogénéiser. Servez pour accompagner les tranches de terrine.

ingrédients

> **300 g/9$^{1}/_{2}$ oz de chocolat au lait**
> **250 g/8 oz de pâte aux noisettes et chocolat à tartiner, ou Nutella**
> **60 ml/2 fl oz de liqueur Tia Maria**
> **6 œufs, séparés**
> **600 ml/1 pt de crème fleurette**
> **3 cuillerées de sucre**
> **250 g/8 oz de chocolat noir**

....
Pour 12 portions

remarque du chef

Si vous souhaitez transformer cette simple terrine en un gâteau glacé, chemisez le moule de pâte à roulade avant de le remplir de la préparation au chocolat.

bombe
chocolat et poires

■■□ | Cuisson: 5 minutes - Préparation: 90 minutes

ingrédients

> **500 ml/1 pt glace au chocolat**
> **1,5 litre/2¹/₂ pt de glace à la vanille**
> **crème légère fouettée et copeaux de chocolat pour garnir (optionnel)**

glace aux poires

> **¹/₃ tasse/85 ml/3 oz de sucre**
> **2 cuillerées de jus de citron**
> **1 cuillerée de liqueur à la poire**
> **1 cuillerée de zeste de citron râpé**
> **850 ml/1¹/₂ pt de poires en boîte, égouttées, en purée et refroidies**

préparation

1. Pour la glace aux poires, chauffez le sucre avec une ¹/₃ tasse/85 ml/3 fl oz d'eau dans une petite casserole jusqu'à dissolution du sucre. Retirez du feu et laissez tiédir. Ajoutez le jus de citron, la liqueur et le zeste râpé. Laissez refroidir. Versez ce sirop, en remuant, sur la purée de poires réfrigérée. Mettez le mélange dans une sorbetière et congelez en suivant ses instructions. Gardez au freezer plusieurs heures.

2. Laissez un moule contenant 1,5 litre/2¹/₂ pt de capacité au freezer toute la nuit. Versez-y les trois quarts de la glace au chocolat; pressez pour chemiser uniformément les côtés et le fond. Couvrez de film et pressez contre la glace pour sceller et en éliminer les bulles d'air. Congelez jusqu'à ce que ce soit ferme.

3. Disposez la glace à la vanille, en pressant pour obtenir une couche uniforme sur celle au chocolat. Couvrez et congelez jusqu'à ce que ce soit bien ferme.

4. Remplissez le centre de la bombe de la glace aux poires. Congelez jusqu'à ce que ce soit consistant.

5. Complétez avec la glace au chocolat restante. Couvrez de film et congelez toute la nuit ou jusqu'à ce que ce soit bien ferme.

6. Pour démouler, passez le moule rapidement sous l'eau tiède et renversez sur un plat refroidi. Remettez au freezer pour qu'elle durcisse à nouveau. Avant de servir, décorez la bombe de crème fouettée et de copeaux au chocolat, si vous souhaitez.

remarque du chef

Cette élégante bombe glacée affiche deux magnifiques couches de glace qui entourent un centre de sorbet crémeux aux fruits.

Pour 10 portions

a

b

roulade
au chocolat

■■□ | Cuisson: 20 minutes - Préparation: 25 minutes

préparation

1. Mettez les jaunes et le sucre dans un grand bol et battez jusqu'à obtention d'une texture épaisse et crémeuse. Ajoutez le chocolat en battant. Incorporez, en enrobant, la farine tamisée avec le cacao.

2. Battez les blancs en neige ferme (a). Incorporez-les, en enrobant, à la préparation précédente. Versez le mélange dans une plaque à four de 26 x 32 cm/10$\frac{1}{2}$ x 12$\frac{3}{4}$ in, graissée et chemisée. Enfournez à 180°C/350°F/Gaz 4 pour 12-15 minutes ou jusqu'à ce que la pâte soit juste ferme. Renversez sur un torchon humide et saupoudrez de sucre. Enroulez en commençant par le bord le plus court (b). Laissez refroidir.

3. Pour le mélange, mettez le chocolat et la crème dans une petite casserole et chauffez à feu doux jusqu'à ce que le chocolat ait fondu et que le mélange soit intégré. Portez à ébullition et retirez du feu. Laissez refroidir complètement. Versez dans un bol posé sur de la glace, battez pour obtenir une texture épaisse et crémeuse.

4. Déroulez la pâte cuite. Tartinez-la du mélange et enroulez de nouveau (c). Pour servir, découpez en tranches.

Pour 8 portions

ingrédients

> 5 jaunes d'œuf
> $\frac{1}{4}$ tasse/60 g/2 oz de sucre
> 100 g/3$\frac{1}{2}$ oz de chocolat noir, fondu et tiédi
> 2 cuillerées de farine à lever
> 2 cuillerées de cacao
> 5 blancs d'œuf

mélange au chocolat

> 60 g/2 oz de chocolat noir
> $\frac{2}{3}$ tasse/170 ml/5$\frac{1}{2}$ fl oz de crème fleurette

remarque du chef

Une roulade au chocolat farcie de crème chocolatée est une gourmandise toute particulière pour la pause café. Elle est d'autant plus spectaculaire et irrésistible que facile à préparer. Suivez les instructions pas à pas pour obtenir des résultats impeccables.

c

brownies
aux fruits

■■■ | Cuisson: 50 minutes - Préparation: 60 minutes

ingrédients

> **125 g/4 oz de chocolat noir, haché**
> **90 g/3 oz de beurre**
> **2 œufs**
> **1¼ tasse/280 g/9 oz de sucre**
> **60 g/2 oz de noix, hachées**
> **90 g/3 oz de raisins secs enrobés au chocolat**
> **½ tasse/60 g/2 oz de farine à lever, tamisée**

couverture au chocolat

> **90 g/3 oz de chocolat noir, haché**
> **185 g/6 oz de fromage blanc**
> **2 cuillerées de sucre**
> **1 œuf**

préparation

1. Mettez le chocolat et le beurre dans un bol au bain-marie et chauffez en remuant constamment, jusqu'à ce qu'ils aient fondu et soient intégrés. Retirez du feu et laissez tiédir.

2. Battez les œufs et le sucre dans un autre bol jusqu'à ce qu'ils deviennent mousseux. Ajoutez, en enrobant, le mélange de chocolat, les noix, les raisins secs et la farine à la préparation battue. Versez dans un moule démontable de 23 cm/9 in, graissé et chemisé. Enfournez à 160ºC/325ºF/Gaz 3 pour 40 minutes, jusqu'à ce que la surface soit sèche et l'intérieur encore moelleux.

3. Pour la couverture, faites fondre le chocolat dans un bol au bain-marie. Retirez du feu et laissez tiédir. Dans un autre bol, battez le fromage blanc avec le sucre jusqu'à homogénéiser. Incorporez l'œuf, en battant. Ajoutez le chocolat fondu et battez encore jusqu'à amalgamer. Versez la couverture sur le brownie chaud et enfournez encore 15 minutes. Laissez refroidir dans le moule et réfrigérez ensuite 2 heures. Coupez en portions pour servir.

Pour 10 portions

remarque du chef

Les petits et les grands copeaux de chocolat sont deux options faciles pour décorer. Pour les petits copeaux, le chocolat doit être à température ambiante; pour obtenir les grands copeaux, il faut le réfrigérer. Dans les deux cas, raclez les arêtes de la tablette de chocolat au tranchant d'un épluche-légumes; des tire-bouchons ou des copeaux se formeront, suivant la température du chocolat.

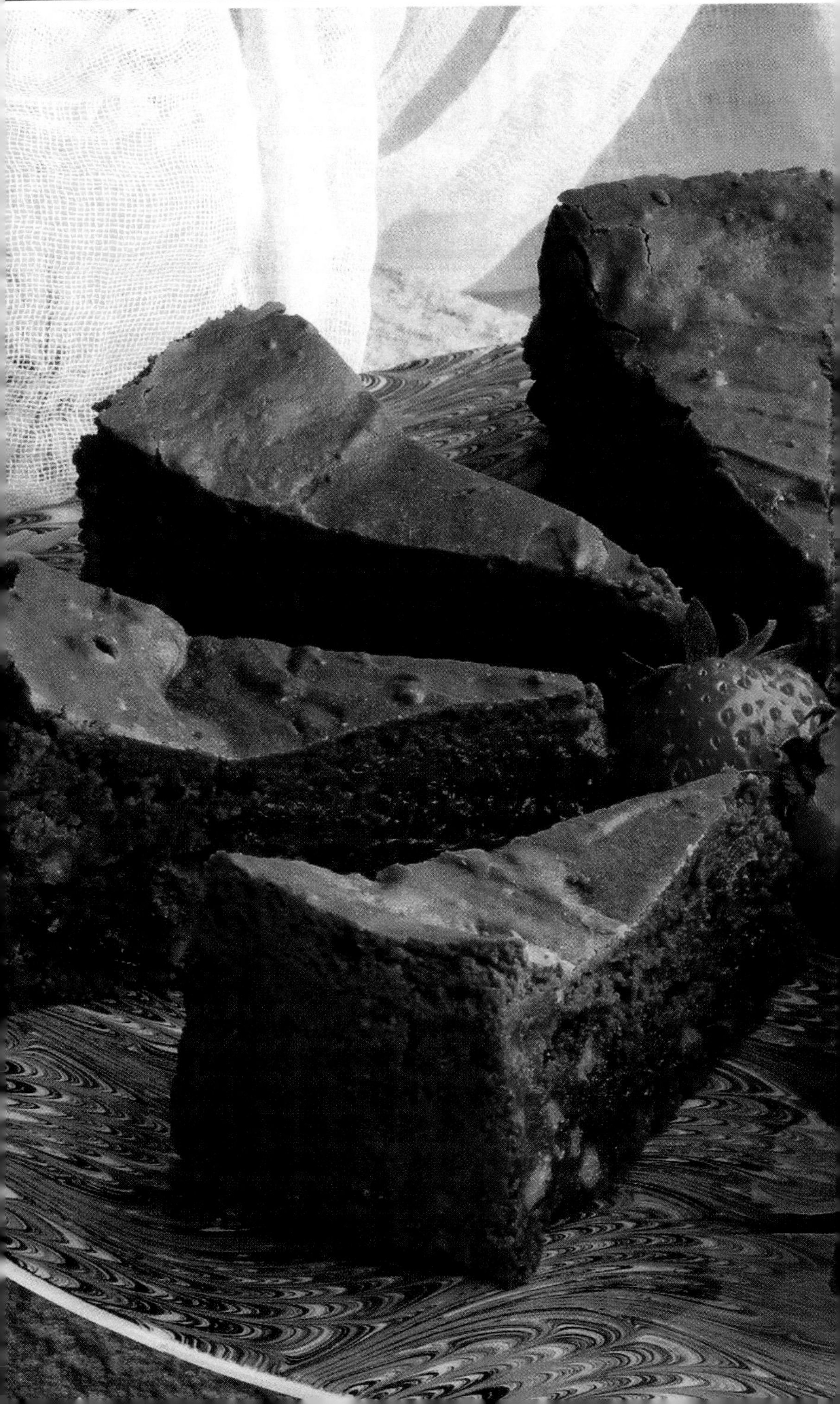

coquilles
marbrées

■■■ | Cuisson: 6 minutes - Préparation: 90 minutes

ingrédients

> **200 g/6¹/₂ oz de chocolat noir, fondu**
> **200 g/6¹/₂ oz de chocolat blanc, fondu**

farce crémeuse au chocolat

> **200 g/6¹/₂ oz de chocolat au lait**
> **¹/₂ tasse/125 ml/4 fl oz de crème fleurette, légèrement battue**
> **2 cuillerées de liqueur au café ou aux noisettes**

remarque du chef

Si vous mélangez de trop les deux genres de chocolat, l'effet marbré diminuera. Pour que la première couche de chocolat ne se casse pas, assurez-vous qu'il sera bien ferme avant d'y placer la farce.

préparation

1. Pour la farce, mettez le chocolat, la crème et la liqueur dans un bol au bain-marie et remuez pour homogénéiser. Retirez du feu et laissez refroidir jusqu'à ce qu'il épaississe.
2. Versez une petite cuillerée de chocolat noir et une autre de chocolat blanc dans un petit moule à bonbon en coquille. Tracez des tourbillons avec un bâtonnet (a) pour obtenir un effet marbré et couvrez le moule entier au pinceau. Donnez quelques petits coups sur la table pour en éliminer les bulles d'air. Répétez avec le chocolat restant jusqu'à couvrir 30 petits moules. Congelez 2 minutes ou jusqu'à ce que le chocolat durcisse.
3. Versez une petite cuillerée de la farce (b) dans chaque coquille au chocolat. Complétez avec des quantités égales de chocolat noir et blanc (c). Mélangez les deux chocolats avec un bâtonnet pour obtenir l'effet marbré. Donnez de petits coups sur la table. Portez au freezer 3 minutes ou jusqu'à ce que le chocolat durcisse. Tapez doucement pour démouler.

Pour 30 unités

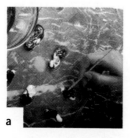

a

b

c

œufs
de pâques truffés

■■■ | Cuisson: 5 minutes - Préparation: 90 minutes

préparation

1. Mettez une cuillerée de chocolat noir dans un petit moule à œuf de Pâques. Étalez-le uniformément au pinceau. Congelez 2 minutes ou jusqu'à ce que le chocolat durcisse. Répétez avec le reste de chocolat pour obtenir 32 moitiés d'œuf.

2. Pour la farce, chauffez la crème dans une petite casserole et portez à ébullition. Retirez du feu et ajoutez le chocolat au lait. Remuez jusqu'à obtention d'une texture homogène. Incorporez le sirop de maïs, en remuant. Réfrigérez 20 minutes ou jusqu'à ce que la farce devienne consistante.

3. Mettez la farce dans une poche à douille à embout cannelé et remplissez les œufs au chocolat.

....
Pour 32 unités

ingrédients

> **125 g/4 oz de chocolat noir, fondu**

frace truffée

> **1/2 tasse/125 ml/4 fl oz de crème fleurette, légèrement battue**
> **250 g/8 oz de chocolat au lait**
> **1 cuillerée de sirop de maïs**

remarque du chef

Ces œufs de Pâques peuvent être moulés et farcis quelques heures au préalable. Conservez-les en lieu frais et sec dans un récipient fermé.

pudding
de noël glacé

■□□ | Cuisson: 0 minute - Préparation: 30 minutes

préparation

1. Mélangez la glace, les fruits et le rhum dans un bol. Versez la préparation dans un moule à pudding contenant 6 tasses/1,5 litre/2 1/2 pt de capacité, huilé et chemisé.

2. Congelez 3 heures ou jusqu'à ce qu'elle soit ferme. Pour servir, coupez le pudding en tranches et accompagnez de crèmes sucrées au rhum, si vous souhaitez.

....
Pour 8 portions

ingrédients

> **1 litre/1 3/4 pt glace au chocolat, ramollie**
> **125 g/4 oz d'abricots confits, hachés**
> **125 g/4 oz de cerises confites, hachées**
> **125 g/4 oz de poires confites, hachées**
> **90 g/3 oz de raisins secs Sultane**
> **75 g/2 1/2 oz de raisins, hachés**
> **2 cuillerées de rhum**

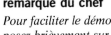

remarque du chef

Pour faciliter le démoulage de la glace, posez brièvement sur le moule un torchon trempé à l'eau tiède.

index

Introduction 3

Gâteaux
Gâteau brownie 14
Gâteau chocolat et amandes 26
Gâteau chocolat et dattes 22
Gâteau chocolat et noisettes...................... 18
Gâteau endiablé 10
Gâteau farci au chocolat 16
Gâteau moelleux chocolat et framboises 20
Gâteau sablé au chocolat 24
Gâteau une livre de chocolat 12
Le meilleur gâteau au chocolat 6
Le meilleur gâteau moelleux...................... 8

Desserts
La glace sublime au chocolat 38
Petites fleurs au chocolat.......................... 36
Petits gâteaux aux framboises.................... 34
Pudding nappé de sa sauce........................ 40
Soufflé au chocolat................................... 44
Tarte noir et blanc 32
Terrine aux trois chocolats......................... 28
Tuiles au chocolat blanc............................ 42

Glaces
Bombe chocolat et poires........................... 52
Glace au chocolat..................................... 46
Glace chocolat au cognac 48
Terrine chocolat et noisettes...................... 50

Pour le café
Brownies aux fruits................................... 56
Coquilles marbrées 58
Roulade au chocolat 54

Pour les Fêtes
Oeufs de Pâques truffés............................ 60
Pudding de Noël glacé............................... 62